folio benjamin

TRADUCTION D'ÉTIENNE DE BOUCHONY

ISBN : 978-2-07-061864-4
Titre original : *I Don't Want To Go To Bed !*
Publié par Andersen Press Ltd., Londres
© Tony Ross 2003, pour le texte et les illustrations
© Gallimard Jeunesse 2003, pour la traduction française,
2008, pour la présente édition

Numéro d'édition : 157055
Loi n° 49-956 du 16 juillet 1949
sur les publications destinées à la jeunesse
Dépôt légal : septembre 2008
Imprimé en Italie par Zanardi Group
Maquette : Barbara Kekus

Tony Ross

# Je ne veux pas aller au lit !

GALLIMARD JEUNESSE

– Pourquoi faut-il que j'aille au lit
alors que je ne suis pas fatiguée,
et que je me lève quand je le suis ?
disait la petite princesse.

– Je ne VEUX pas aller au lit !

– C'est bon pour toi, dit le docteur
en la portant dans sa chambre.
Et c'est encore mieux de dormir.

Mais la petite princesse redescendit immédiatement.

– JE NE VEUX PAS ALLER AU LIT !

– JE VEUX UN VERRE D'EAU !

– Tiens, voilà, dit la reine.
Et maintenant, dodo.

– Papaaaaaaaa !

– Tu ne veux pas un deuxième verre
d'eau ? demanda le roi.
– Non, répondit la petite princesse,
c'est Nounours qui en veut un.

– Bonne nuit, dit le roi.
Dodo, maintenant, Nounours.
– Ne pars pas ! dit la petite princesse.
Il y a un monstre dans la penderie.

– Les monstres n'existent pas,
et il n'y en a pas dans la penderie,
dit le roi en fermant la porte
de la chambre.

– Papa ! cria la petite princesse.
– Qu'y a-t-il encore ? demanda le roi.
Ne me dis pas que tu as encore peur
des monstres !

– Bien sûr que non, répondit la petite princesse. C'est Nounours.
Il dit qu'il y en a un sous le lit.

– Non, il n'y en a pas, dit le roi
en quittant la chambre sur la pointe
des pieds. Les monstres n'existent pas.

– Arrêtez-la ! hurla la reine. Elle s'est
échappée.

– JE NE VEUX PAS ALLER AU LIT ! dit la petite
princesse.

– Pourquoi ? demanda la reine.

– Il y a une araignée au-dessus
de mon lit…
… avec des pattes poilues.

– Les jambes de Papa sont poilues
aussi, et il n'est pas méchant,
dit la reine.

Finalement, la petite princesse
se mit au lit.

Plus tard, quand le roi entra
pour lui dire bonsoir, son lit était vide.

Tout le monde se mit à sa recherche...

… inspectant tout de fond en comble,
jusqu'à ce que…

– La voilà ! s'écria la gouvernante.
Elle protège Nounours et le chat
des araignées et des monstres.

Le lendemain matin, la petite princesse
se leva en bâillant à se décrocher
la mâchoire.
– Je suis fatiguée, dit-elle…

Je veux aller au lit.

Fin

## L'AUTEUR - ILLUSTRATEUR

**Tony Ross** est né à Londres en 1938. Après des études de dessin, il travaille dans la publicité puis devient professeur à l'École des beaux-arts de Manchester. En 1973, il publie ses premiers livres pour enfants. Depuis il en a écrit des centaines ! Il est aujourd'hui l'un des plus grands auteurs-illustrateurs britanniques. Il aime avant tout raconter des histoires aux enfants et les faire rire. Il croit au Père Noël et adore les contes de fées. C'est un poète qui sait aussi bien jongler avec les mots qu'avec les couleurs ! Il vit actuellement en Angleterre, au bord de la mer, dans une grande maison avec sa femme et ses deux filles.

# folio benjamin

La collection **folio benjamin** met à votre portée nos trésors des premières lectures à partager et à donner à lire aux enfants : les meilleurs auteurs et illustrateurs d'aujourd'hui qui savent **raconter**, faire **rêver**, rire, sourire, apprivoiser la vie quotidienne, ouvrir l'**imaginaire**, susciter câlins et confidences…

Voici quelques-uns des titres de niveau 1, **j'ai envie de lire**
(niveau de lecture établi par notre conseil pédagogique).

n° 98 par
Thierry Magnier
et Georg Hallensleben

n° 40 par
Allan et Janet Ahlberg

n° 4 par Kate Banks
et Georg Hallensleben

n° 144 par
Quentin Blake

n° 95 par
Jean-Baptiste Baronian
et Noris Kern

n° 102 par
Quentin Blake

n° 138 par Ken Brown

n° 122 par
Ken Brown

n° 15 par
Ruth Brown

n° 53 par
Heather Eyles
et Tony Ross

n° 134 par
Michael Foreman

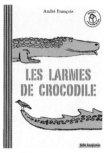

n° 136 par
André François

n° 96 par Ruth Brown

n° 109 par Jane Yolen
et Mark Teague

n° 22 par Mercer Mayer

n° 74 par
Raymond Rener
et Jacqueline Duhême

n° 79 par Pef

n° 33 par Tony Ross

n° 31 par Tony Ross

n° 32 par Tony Ross

n° 84 par Tony Ross

n° 85 par Tony Ross

n° 111 par Tony Ross

n° 117 par Tony Ross

n° 135 par Tony Ross